VYN

Croeso,
Ms Swyn

Terence Blacker

Addasiad Cymraeg
Rhian Pierce Jones

Hawlfraint y testun © Terence Blacker, 1988

Hawlfraint y darluniau © Tony Ross, 1996

Teitl gwreiddiol: *Ms Wiz Spells Trouble*

Cyhoeddwyd gyntaf gan Piccadilly Press Ltd.

ⓗ y testun Cymraeg: Rhian Pierce Jones ©

Argraffiad Cymraeg cyntaf: 1999

ISBN 1 85902 604 4

Cyhoeddwyd dan gynllun comisiynu
Cyngor Llyfrau Cymru.

Dymuna'r cyhoeddwyr gydnabod cymorth
Adrannau Cyngor Llyfrau Cymru.

Panel Golygyddol Cyfres Cled:
Bethan Hughes
Llinos M. Jones
Iwan Morgan

Argraffwyd gan
Wasg Gomer, Llandysul, Ceredigion

Pennod 1

Yr athrawes newydd

Pobl od ydi athrawon ar y cyfan, a doedd athrawon Ysgol Tudwal Sant ddim yn eithriad.

Eto i gyd, doedd yr un ohonyn nhw— Mr Gruffydd, y prifathro, oedd yn hoffi pigo'i drwyn yn ystod y Gwasanaeth, Mrs Huws oedd yn siarad efo'i thedis yn y dosbarth, Miss Ifans oedd yn mynd am smôc i'r toiledau—mor od ag athrawes ddosbarth newydd Blwyddyn 5.

Roedd rhai o griw Blwyddyn 5 yn credu mai gwrach oedd hi, ac eraill yn dweud ei bod hi'n hipi. Yn ôl un neu ddau o'r plant, jest hurt bost oedd hi. Ond roedd pawb yn cytuno na welwyd mo'i thebyg yn Ysgol Tudwal Sant o'r blaen.

Dyma'i stori hi. Tybed beth ydach *chi*'n feddwl oedd hi . . .

O'r eiliad y camodd eu hathrawes newydd i mewn i'r stafell ddosbarth ar ddiwrnod cynta'r tymor, synhwyrodd criw Blwyddyn 5 bod hon yn wahanol rywsut, yn wahanol i bob athrawes roedden nhw wedi'i chael yn y gorffennol. Roedd hi'n weddol dal gyda llygaid gwyrdd gloyw a gwallt hir, du. Gwisgai fodrwyau mawr ar ei bysedd ac roedd paent du ar ei hewinedd. A dweud y gwir, roedd hi'n debycach i rywun ar gychwyn i ddisgo nag i athrawes ysgol.

Ac ar waetha'r ffaith mai nhw oedd y criw mwyaf anystywallt ac anodd eu trin yn yr ysgol gyfan, doedd hi ddim yn nerfus o gwbl. Roedd Miss Jones, eu hathrawes ddiwethaf, wedi gadael yr ysgol yn ei dagrau. Ond doedd dim byd i'w weld yn poeni'r athrawes newydd.

'Miss Wyn ydw i,' cyflwynodd ei hun mewn llais tawel ond cadarn. 'Felly, beth fyddwch chi'n ddeud wrtha i bob bore?'

'Bore da, Miss Wyn,' atebodd Blwyddyn 5 yn ddigyffro.

'Nage,' meddai'r athrawes ar ei hunion a'i llygaid gwyrdd yn gloywi. 'Dyma fyddwch chi'n ddeud, "S'mai, Ms Swyn!"'

Daeth pwff o chwerthin o gefn y dosbarth lle'r oedd Jac, un o'r bechgyn mwyaf uchel ei gloch, yn eistedd.

'Ie,' meddai mewn acen Americanaidd. 'S'mai, Ms Swyn!'

Roedd hyd yn oed Caryl, oedd wastad fel breuddwyd, wedi codi'i phen i wrando.

'Pam ydach chi'n galw'ch hun yn Ms . . . ym, Ms?' gofynnodd.

'Wel,' atebodd Ms Swyn, 'dydw i ddim yn Mrs gan 'mod i heb briodi, diolch byth, ac mae Miss yn swnio'n wirion ac yn blentynnaidd, 'dach chi ddim yn meddwl?'

'Ddim hanner mor wirion â Ms,' ychwanegodd Catrin dan ei gwynt. Roedd hi wrth ei bodd yn canfod beiau ym mhawb a phopeth.

'A pham Swyn?' holodd bachgen tew, llond ei groen, oedd wedi sodro'i hun yn y rhes flaen. Bochau-Byns, neu Byns i'w ffrindiau, oedd wedi gofyn y cwestiwn, y bachgen mwyaf annifyr, ac yn sicr y mwyaf barus o'r criw i gyd.

'Swyn?' Gwenodd Ms Swyn yn gynnil gan ychwanegu, 'gewch chi weld.'

Yna estynnodd fag lledr mawr oedd yn pwyso ar ymyl y ddesg. Rhoddodd ei llaw i mewn a thynnodd gath tseina allan ohono.

'Mi hoffwn i chi gyfarfod ffrind i mi, Sylwen y Gath,' meddai gan osod y gath tseina ar y ddesg o'i blaen. 'Mi fydd Sylwen yn sylwi arnoch chi drwy'r amser. Mae hi'n gallu gweld a chlywed pob dim. Hi ydi f'ysbiwraig i.'

Trodd Ms Swyn at y bwrdd du.

'Hy! Choelia i fawr! Anhygoel wir,' mwmiodd Jac yn goeglyd.

Daeth sŵn hisian, od o gyfeiriad y gath a saethodd golau llachar o'i llygaid.

'Cofiwch bod Sylwen yn eich gweld chi pan dwi â 'nghefn atoch chi,' atgoffodd Ms Swyn y plant, gan droi i'w hwynebu unwaith eto. 'Rŵan 'ta, dwi am i'r sawl ddeudodd "anhygoel" sillafu'r gair, os gwelwch yn dda.'

Gwridodd Jac wrth i bawb droi ac edrych arno.

'A. N. N . . .' dechreuodd.

Aeth y dosbarth yn dawel fel y bedd.

'Ym, A . . . N . . . Y . . .'

'Anghywir,' meddai Ms Swyn. 'A.N.H.Y.G.O.E.L. Os na elli di sillafu gair, yna paid â'i ddefnyddio fo, Jac.' Cyffyrddodd y gath â chefn ei llaw.

'Da iawn, Sylwen,' meddai.

'Sut oedd hi'n gwybod f'enw i?' sibrydodd Jac.

Gwenodd yr athrawes newydd. 'Blant, dwi am i chi gofio un peth. Mae Ms Swyn yn gwybod popeth. Rŵan 'ta,' meddai'n fywiog. 'Pawb i wrando, os gwelwch yn dda. Mi ddechreuwn ni'r wers gyntaf efo —nid symiau—ond swynion.'

'O, grêt,' meddai Catrin yn bwdlyd. 'Mae gynnon ni wrach yn lle athrawes rŵan.'

Daeth sŵn hisian blin o gyfeiriad Sylwen.

'Na, Catrin, nid gwrach.' Trodd Ms Swyn ati. 'Nid gwrachod maen nhw'n cael eu galw erbyn hyn. Mae hynny'n rhoi'r darlun anghywir i bobl. Cyfryngwyr Paranormal ydyn nhw. Rŵan 'ta, oes gan unrhyw un ohonoch chi awgrym ar gyfer ein swyn cyntaf?'

Saethodd llaw Byns i'r awyr.

'Gawn ni droi bob un creon yn lolipop, Ms?'

'Na, na,' atebodd Ms Swyn. 'Ddylech chi ddim defnyddio hud i fodloni trachwant personol.'

'Beth am droi Blwyddyn 6 yn llyffantod?' cynigiodd Catrin.

'Nac i ddial chwaith. Fydd 'na ddim swynion annymunol tra bydda i yma—oni bai bod rhywun yn eu haeddu, wrth gwrs,' ychwanegodd yn sydyn.

Taflodd gipolwg drwy'r ffenest a gweld bod Mr Brown, y gofalwr, wrthi'n brysur yn sgubo'r dail oedd ar wasgar ar hyd yr iard.

'Dwi am i chi dynnu llun yr iard. Dychmygwch sut y byddai'r lle'n edrych heb ddail. Yna mi ddefnyddiwn ni'r llun gorau i fwrw'r swyn.'

Am y tro cyntaf erioed, aeth Blwyddyn 5 ati i weithio'n dawel ac yn ddiwyd. Wnaeth Catrin ddim cwyno bod rhywun

wedi dwyn ei phensil. Llwyddodd Caryl i ganolbwyntio ar ei gwaith. Anghofiodd Byns dyrchu ym mhoced ei drowsus am beth da a phletiodd Jac 'run awyren bapur i'w thaflu at neb.

Ar ddiwedd y wers craffodd Ms Swyn yn ofalus ar bob darlun.

'Wel,' meddai o'r diwedd, wedi iddi bwyso a mesur y lluniau, 'maen nhw i gyd yn rhai da, ond dwi'n meddwl mai un Caryl ydi'r gorau.'

Cydiodd yn y darlun ac yna'i lynu'n ofalus yn erbyn y ffenestr.

'Pawb i gau ei lygaid tra bydda i'n bwrw'r swyn.'

Ufuddhaodd pawb a bu tawelwch llethol. Yna dechreuodd sŵn hymian dieithr, nes i Ms Swyn darfu'n sydyn ar y distawrwydd.

'Agorwch eich llygaid. Ewch i weld gwaith Caryl.'

Syllodd pawb i gyfeiriad y ffenestr. Roedd y darlun yn edrych yn union fel o'r blaen heblaw am y stêm oedd yn codi ohono.

'Hei . . . edrychwch ar yr iard!' gwaeddodd Catrin.

Rhedodd pawb i edrych allan, ac er mawr syndod i bawb doedd yr un ddeilen i'w gweld ar gyfyl yr iard. Y cyfan a welid oedd Mr Brown yn sefyll wrth ymyl ei ferfa, yn crafu'i ben.

'Anhygoel,' meddai Jac. 'Anhygoel.'

Pennod 2

Ms Swyn Anhygoel

'Ydi, mae arna i ofn ei bod hi braidd yn od,' ochneidiodd Mr Gruffydd, y prifathro, wrth Miss Ifans a Mrs Huws wrth i'r tri fwynhau paned o de yn stafell yr athrawon.

'Y jîns 'na,' wfftiodd Miss Ifans. 'A'r hen baent *du* 'na sy ar ei hewinedd hi. Ych a fi!'

'Ond *mae* hi'n llwyddo i gadw trefn ar griw Blwyddyn 5,' honnodd Mr Gruffydd. 'Mae hi yma ers wythnos a does 'na'r un plentyn wedi cael ei yrru ata i. A wyddoch chi, does 'na'r un ffenestr wedi cael ei thorri chwaith.'

Rhoddodd Mrs Huws droad sydyn ar ei the.

'Pharith hi ddim yn hir, gewch chi weld,' meddai. 'Mi fydd Blwyddyn 5 wedi mynd yn drech na hi—a gyda llaw, mae 'na synau od ar y naw yn dŵad o'r stafell ddosbarth 'na.'

'Mi faswn i'n cadw llygad barcud arni taswn i yn eich lle chi,' cynigiodd Miss Ifans.

Ochneidiodd Mr Gruffydd.

'O'r gorau,' cytunodd yn flinedig. 'Mi gadwa i olwg ar y sefyllfa.'

Ond y gwir amdani oedd bod Blwyddyn 5 ar ben eu digon.

Roedd pob gwers efo Ms Swyn yn brofiad gwahanol.

Gyda'r geiriau cyfarwydd 'Rŵan 'ta, Blwyddyn 5!' byddai'r wers yn cychwyn —'dwi am ddysgu rhywbeth "gwahanol" i chi heddiw. Ond cofiwch mai cyfrinach ydi'r cyfan. Wnaiff yr hud ddim gweithio os deudwch chi wrth rywun o'r tu allan i'r dosbarth.' Ac yn rhyfedd iawn, roedd Blwyddyn 5 wedi cytuno.

Felly, wyddai neb—ddim hyd yn oed eu rhieni na phlant y dosbarthiadau eraill—am y digwyddiadau rhyfedd yn stafell ddosbarth Blwyddyn 5.

Ddaeth neb i wybod sut y llwyddodd darlun Caryl i arbed bore cyfan o waith i Mr Brown.

Ddaeth neb i wybod sut y llwyddodd desg Jac i symud ar ei phen ei hun i du blaen y dosbarth wedi i Sylwen glywed Jac yn siarad yn y cefn.

Ddaeth neb i wybod sut y bu i Catrin hedfan ar ben hwfer o amgylch y dosbarth deirgwaith, ar ôl honni na allai Ms Swyn fod yn wrach—sori, yn Gyfryngwr Paranormal—go iawn, am nad oedd yn berchen ysgub.

Ddaeth neb i wybod am y wers natur honno pan gafodd y criw gyfarfod Llwydwen, y llygoden fawr oedd yn byw yn llawes Ms Swyn.

Ond daeth pawb i wybod am y diwrnod y daeth Byns yn arwr y dosbarth.

Doedd dim posib cadw *hynny*'n gyfrinach.

Unwaith bob tymor cynhelid gêm bêl-droed bwysig yn erbyn ysgol gyfagos, Ysgol Bryniog. Plant o Flwyddyn 5 oedd aelodau'r tîm a châi gweddill yr ysgol ddod i wylio'r gêm. Colli fu'r hanes y tymor diwethaf—colli o 10-0.

'Ar Miss Jones oedd y bai am bigo tîm o rai llywaeth,' eglurodd Jac.

'Fatha hi ei hun,' ychwanegodd Caryl.

Cytunodd pawb yn frwd.

'Mi wna *i* fod yn rheolwr,' gwaeddodd Jac.

Cododd Ms Swyn ei breichiau i'r awyr fel dewines yn barod i fwrw swyn.

'Fi fydd y rheolwr,' meddai mewn llais pendant.

'Ond beth wyddoch chi am bêl-droed?' gofynnodd Jac.

'Mae Ms Swyn yn gwybod popeth,' torrodd Caryl ar ei draws.

'Crîp!' meddai Catrin dan ei gwynt.

Gwnaeth Sylwen sŵn hisian cas.

'O'r gorau, Sylwen,' ychwanegodd Catrin yn frysiog. 'Mae'n ddrwg gen i.'

'Fy nhîm i,' dechreuodd Ms Swyn, 'fydd Jac, Seimon, Catrin, Aled a . . .' Edrychodd o'i chwmpas a sylwi bod Byns â'i law i fyny.

'*Na*, Ms Swyn,' erfyniodd pawb. 'Dim Byns! Mae o'n anobeithiol!'

'. . . a Byns.'

Daeth protestiadau o bob cyfeiriad.

'Rydan ni'n mynd i gael ein curo'n rhacs jibidêrs y tro 'ma,' meddai Jac mewn anobaith llwyr.

Yn wir, roedd Jac wedi darogan yn gywir ac o fewn tri munud roedd Bryniog wedi sgorio ddwywaith. Druan o Byns, mi *roedd* o'n anobeithiol, yn baglu ar draws ei draed cyn gynted ag y deuai'r bêl yn agos ato.

'Eitha gwaith iddi, Miss Hollwybodus,' meddai Mrs Huws, oedd yn gwylio'r gêm efo Miss Ifans. 'Sbia arni hi'n neidio i fyny ac i lawr fel plentyn ar gastell sboncio. Rêl ffŵl.'

'Codi cywilydd ar rywun,' cytunodd Miss Ifans.

'*Gwnewch* rywbeth,' erfyniodd Caryl oedd yn sefyll wrth ochr Ms Swyn.

'A beth wyt ti'n awgrymu y dylwn i neud, Caryl?' gofynnodd Ms Swyn â chynnwrf yn crynhoi yn ei llygaid.

'Wyddoch chi'n iawn beth,' sibrydodd Caryl. 'Tipyn bach o . . .'

'Wel, pam lai,' ochneidiodd Ms Swyn. 'Siawns na wnaiff rhyw *fymryn bach* o hud ddim drwg i neb.'

Ar y gair, hyrddiodd Byns ei hun yn erbyn un o chwaraewyr Bryniog nes fod hwnnw'n grempog ar y llawr. Heb oedi dim, chwythodd Mr Gruffydd ei chwiban i roi cic gosb yn erbyn Blwyddyn 5—ond er iddo chwythu'n galed ddaeth yr un sŵn ohoni. Yn ei le clywyd sŵn hymian yn dod o gyfeiriad Ms Swyn.

'Dyna welliant,' meddai Caryl.

Tra bod chwaraewyr Bryniog yn dal i ddisgwyl am sŵn y chwiban, cododd Byns ar ei draed a saethu ar draws y cae efo'r bêl. Anelodd am y gôl a chicio â'i holl nerth—ond doedd yr ergyd ddim yn agos i gôl Bryniog. Yna'n hollol ddirybudd roedd y bêl fel petai wedi newid ei chwrs a phlymiodd yn syth i gefn y rhwyd.

Bu distawrwydd llethol am eiliad wrth i bawb wylio'r olygfa ryfedd. Yna torrwyd ar y distawrwydd wrth i Ms Swyn floeddio cymeradwyaeth i'w thîm.

'Gôl wych!' gwaeddodd. 'Da iawn, Byns!'

'Cywilyddus,' mwmiodd Mrs Huws.

Daeth tro ar fyd i dîm Blwyddyn 5. Freuddwydiodd Byns erioed y gallai chwarae mor dda, ddim hyd yn oed pan freuddwydiai am sgorio'r gôl dynged-fennol honno i Spurs yn Ffeinal Cwpan yr FA. Roedd hyd yn oed Jac wedi dechrau gweiddi, 'Rhowch hi i Byns! Rhowch y

bêl i Byns!' tra bod tîm Bryniog yn bloeddio, 'Stopiwch yr un tew 'na! Baglwch y gwalch!'

Ond allai neb roi stop arno. Roedd Byns fel petai wedi cael help oddi fry. Sgoriodd dair gôl nes gwneud y sgôr terfynol yn 3-2 i Flwyddyn 5.

Ar ôl y gêm tyrrodd pawb fel gwenyn o gwmpas Ms Swyn, gan weiddi a bloeddio a chanu nerth eu pen.

'Anhrefn llwyr,' meddai Mrs Huws. 'Efalla eu bod nhw'n gallu ennill gêmau, ond maen nhw'n ymddwyn yn waeth nag erioed efo'r athrawes newydd 'ma.'

Roedd Miss Ifans wedi rhuthro draw at Mr Gruffydd.

'Wel 'drychwch wir, brifathro,' dechreuodd, gan bwyntio at griw Blwyddyn 5, oedd erbyn hyn yn morio canu 'Ms Swyn! Ms Swyn!' 'Maen nhw'n rhemp.'

Ond doedd Mr Gruffydd ddim yn gwrando. Roedd o'n dal mewn penbleth llwyr ac yn syllu ar ei chwiban newydd. Pam gebyst nad oedd hi'n gweithio?

Pennod 3

Y Dylluan Fathemategol

'Sut dechreua i?' meddai Mr Gruffydd gan dynnu ar ei getyn. Roedd y prifathro wedi galw Ms Swyn i'w stydi ac yn awr eisteddai gyferbyn ag ef a gwên bryfoclyd ar ei hwyneb. 'Mae gen i dasg anodd o 'mlaen . . . ym, wel, fel hyn mae hi, Ms Swyn. Dwi wedi derbyn, ym, cwynion.'

'Cwynion,' ailadroddodd Ms Swyn. 'Ynglŷn â beth?' Gwenodd arno'n siriol.

Tynnodd y prifathro ei getyn o'i geg. Pam oedd hon yn gwneud iddo deimlo mor *nerfus*? Merch oedd hi, ie dyna'r ateb, siŵr o fod. Ond doedd hon ddim yn codi ofn arno fel *rhai* merched roedd o'n eu nabod—fel Mrs Gruffydd, er enghraifft. Wrth feddwl am ei wraig sythodd yn ei gadair freichiau a rhoddodd gynnig arall arni.

'Cwynion ynglŷn â'ch ymddangosiad chi i ddechrau,' eglurodd, gan godi'i ben a sylwi'n sydyn ar y minlliw du oedd ar ei gwefusau.

'Oes gynnoch chi unrhyw wrthwynebiad i'r ffordd dwi'n edrych?' gofynnodd Ms Swyn, wedi'i synnu.

'Nac oes, nac oes wir,' atebodd Mr Gruffydd ar unwaith gan ollwng y lludw o'i getyn i'r blwch llwch. 'Dwi'n eitha hoffi . . . yn hytrach . . . dwi ddim . . . yn bersonol . . . wedyn eich gwersi,' meddai gan newid y pwnc, 'y gwersi hanes, er enghraifft.'

'Ond mae Blwyddyn 5 wrth eu bodd efo Hanes,' eglurodd Ms Swyn. 'Rydan ni'n astudio Merched Beca ar hyn o bryd.'

'Felly dwi'n dallt wir,' atebodd Mr Gruffydd. 'Mi sylwis i bod rhai o'ch dosbarth chi'n cerdded yn fygythiol o gwmpas yr iard ddoe yn gweiddi, "Torrwch y tollbyrth! Torrwch y tollbyrth!"'

Chwarddodd Ms Swyn. 'Maen nhw mor awyddus,' ychwanegodd.

'Ga i awgrymu eich bod chi'n newid cyfnod . . . i gyfnod mwy *dymunol*,' cynigiodd y prifathro. 'Beth am 1066, yr Armada, neu'r Brenin Alfred a'r cacennau.'

'Ond mae gynnon ni brosiect arall ar y gweill yn barod.'

'A ga innau'r fraint o wybod beth ydi o?' holodd yn betrus.

'Â chroeso,' atebodd Ms Swyn. 'Tân Mawr Llundain.'

Saethodd ias oer i lawr cefn y prifathro. Roedd Mrs Huws a Miss Ifans yn llygad eu lle. Fe gâi drafferth efo hon. Yna mentrodd, 'Efalla y gallech chi ganolbwyntio ar bwnc arall am y tro.'

'Pam lai,' cytunodd Ms Swyn. 'Mi wnawn ni 'chydig o Fathemateg am newid.'

Am y tro cyntaf y bore hwnnw daeth gwên i wyneb y prifathro, gwên o ryddhad. 'I'r dim,' meddai.

Siawns y deuai pethau i drefn nawr, meddyliai wrtho'i hun wrth iddi adael ei stafell. Allai Mathemateg ddim achosi trafferth . . . yn na allai?

'Rŵan 'ta, Blwyddyn 5,' dechreuodd Ms Swyn y pnawn hwnnw. 'Dwi am roi prawf i chi ar dabl 9—lluosi a rhannu.'

Daeth cwynion o bob cwr o'r dosbarth. Doedd neb yn hoffi tabl 9.

Aeth Ms Swyn yn ei blaen. 'Mae gen i ffrind sy'n mynd i fy helpu i. Dyma fo—Archimedes.' Ar hynny llithrodd ei llaw i mewn i'r ddesg a thynnodd dylluan enfawr allan. 'Mae hi'n giamstar ar dablau,' ychwanegodd gan roi'r dylluan ar ben y bwrdd du.

'Cathod, llygod a rŵan tylluanod,' meddai Catrin dan ei gwynt. 'Mae'r lle 'ma'n mynd yn debycach i sw bob dydd.'

'Tylluan wen ydi hon,' meddai Ms Swyn gan anwybyddu Catrin. 'Tylluan alluog iawn, mathemategydd o fri. Rho'r fasged sbwriel oddi tani hi, os gweli di'n dda, Caryl.'

'Pam, Ms Swyn?' gofynnodd Caryl.

'Aros a mi gei di weld,' atebodd Ms Swyn.

Felly gosododd Caryl y fasged sbwriel yn union o dan y fan lle clwydai Archie.

'Rŵan 'ta, Byns,' dechreuodd Ms Swyn. 'Deud wrth Archie beth ydi pump naw.'

'Pedwar deg pump,' atebodd Byns.

'Twhwhw,' meddai Archie.

'Mae hynny'n golygu dy fod ti'n gywir. Seimon . . . naw naw.'

'Wyth deg un,' atebodd Seimon.

'Twhwhw.'

'Jac,' meddai Ms Swyn. 'Rhannu y tro 'ma. Mae gan un bachgen 108 o farblis ac mae o'n eu rhannu nhw rhwng naw o'i ffrindiau. Beth ydi'r ateb?'

Crychodd Jac ei dalcen.

'Ym . . . un ar ddeg.'

Edrychodd pawb ar Archie gan ddisgwyl ei ymateb. Yn dawel bach, cododd yr aderyn ei gynffon a disgynnodd rhywbeth amheus i mewn i'r fasged sbwriel islaw.

'Ych a fi,' meddai'r criw. 'Mae o wedi . . . gneud . . .'

'Y gair cywir amdano ydi giwano,' meddai Ms Swyn. 'Jac?'

'Deg,' cynigiodd Jac.

Cododd Archie ei gynffon.

'Wyth.'

Cododd ei gynffon drachefn.

'Sut mae o'n gallu . . . gneud . . . bob tro?' gofynnodd Byns.

'Mae o'n ufudd,' atebodd Ms Swyn.

'Fasai'n well i rywun nôl basged arall rhag ofn,' awgrymodd Catrin. 'Mi fyddwn ni yma tan Sul y Pys efo Jac.'

'Mi fasai'n well iddo fo drio'i orau glas felly, oherwydd bob tro mae Archie'n codi'i gynffon, mae hynny'n golygu hanner cant o linellau,' ychwanegodd Ms Swyn.

Ochneidiodd Jac mewn anobaith.

Pwy oedd yn gwrando'n astud y tu allan i'r drws ond Mrs Huws a Miss Ifans.

Roedd y ddwy wedi rhoi gorchymyn i'w dosbarthiadau ddarllen yn dawel er mwyn iddyn nhw gael mynd i fusnesa. Roedden nhw'n benderfynol o ddal yr athrawes newydd yn gwneud rhywbeth o'i le.

'Chlywis i erioed y ffasiwn sŵn,' meddai Miss Ifans. 'Mae'r peth yn warthus!'

'Beth am i ni fynd i'r iard i gael gweld yn iawn beth sy'n digwydd?' cynigiodd Mrs Huws.

A dyna ble'r oedd y ddwy, a'u llygaid fel soseri, yn gwylio Jac yn stryffaglu i ganfod yr ateb cywir i gwestiwn Archie.

'Mi wela i dderyn ar y bwrdd du,' sibrydodd Miss Ifans.

'Ac mae o'n . . . mae o'n . . . gneud ei

fusnas . . . yn y fasged sbwriel. Alla i ddim credu hyn!'

Pwysodd y ddwy yn erbyn y gwydr i gael gweld yn iawn, a dyna pryd y sylwodd Ms Swyn ar ddau drwyn yr ochr draw i'r gwydr. Clywodd y rhes flaen sŵn hymian tawel yn dod o gyfeiriad eu hathrawes.

'Miss Ifans! Miss Ifans!' meddai Mrs Huws. 'Fy nhrwyn i! Mae o'n sownd i'r gwydr!'

'A f'un innau!' llefodd Miss Ifans, gan

geisio rhoi cam yn ôl i ryddhau ei thrwyn. 'Aw! Mae hynna'n brifo!'

Ar hynny canodd cloch yr ysgol. Roedd hi'n amser egwyl pnawn ac mewn dim o dro amgylchynwyd y ddwy athrawes gan dwr o blant oedd yn chwerthin lond eu boliau.

'Wel peidiwch â sefyll yna'n sbio, y cnafon i chi,' gorchmynnodd Mrs Huws. 'Ewch i nôl help, ar frys.'

'Na, 'rhoswch,' meddai Ms Swyn, oedd erbyn hyn wedi ymuno â'r plant yn yr iard. Tarodd y gwydr yn ysgafn â'i llaw. Yr eiliad nesaf baglodd y ddwy yn eu holau, yn rhydd unwaith eto.

'Barrug, mae'n rhaid,' meddai Ms Swyn â gwên fach od ar ei hwyneb.

'Barrug? Yr adeg yma o'r flwyddyn? Peidiwch â rwdlan,' meddai Miss Ifans.

'Dim ond mis Medi ydi hi,' ychwanegodd Mrs Huws.

'Mae'r tywydd 'ma'n gallu bod yn rhyfedd, tydi?'

Pennod 4

Llwydwen yn llechu . . .

Ar ganol gwers arlunio roedden nhw pan ofynnodd Catrin i Ms Swyn ble roedd hi'n byw. Roedd y plant i gyd wrthi'n ceisio arlunio tŷ dychmygol dan y pennawd 'Sut dŷ yr hoffwn i fyw ynddo'.

Tynnodd Jac lun o dŷ oedd yn edrych fel Stadiwm Parc yr Arfau. Roedd cae rygbi yn y lolfa ac roedd pob wal ar ogwydd fel rampiau byrddau sgrialu.

Llun plasty dynnodd Caryl, fel y rheini oedd gan sêr ffilmiau, gyda gardd enfawr a phwll nofio a chwpwrdd coctels ym mhob stafell.

Dewisodd Byns wneud llun o Gastell Caernarfon, ond bod ei gastell ef fymryn yn wahanol gan ei fod wedi'i wneud allan o siocled.

Llun o fwthyn tywyll, dirgel mewn coedwig dynnodd Catrin. O bobtu'r drws ffrynt safai dwy gath yn gwarchod, a gwibiai ystlumod yn ôl ac ymlaen trwy dwll yn y to gwellt. Enw'r bwthyn oedd 'Bwthyn Hud Ms Swyn'.

Chwarddodd Ms Swyn wrth edrych ar lun Catrin. Yna meddai, 'Mae o'n ddel iawn, ond dydi o ddim byd tebyg i fy nhŷ i.'

'Ond lle *rydach* chi'n byw?' gofynnodd Catrin.

Cododd pawb eu pennau yn llawn chwilfrydedd. Doedd neb o'r blaen wedi meiddio gofyn unrhyw gwestiwn personol i Ms Swyn.

'Dwi'n byw ymhell bell i ffwrdd, mewn fflat,' atebodd Ms Swyn. 'Fu'r un ohonoch chi erioed yno. Mae o ar gyrion y dre.'

'Gawn ni ddŵad am dro i'ch gweld chi yn ystod y gwyliau?' mentrodd Jac.

'Ond mi fydda i'n brysur yn ystod y gwyliau yn gneud pob math o bethau. Dyna 'ngwaith i . . . mynd lle bynnag mae angen help llaw hudol.'

'Ydi hynny'n golygu y byddwch chi'n gadael Tudwal Sant yn o fuan?' gofynnodd Catrin.

Gwenodd Ms Swyn. 'Mi arhosa i tra byddwch chi f'angen i, Catrin.'

Bu tawelwch am funud. Yna cododd Byns ei law.

'Os ydach chi'n byw mor bell i ffwrdd, sut ydach chi'n dŵad i'r ysgol bob dydd? Ar eich hwfer ydach chi'n dŵad?'

'Naci,' atebodd Ms Swyn. 'Ar y bws.'

Y pnawn hwnnw roedd golwg mwy difrifol nag arfer ar wyneb Ms Swyn, ac roedd rheswm da dros hynny. Roedd hi'n Noson Rieni.

Roedd Ms Swyn wrth ei bodd efo plant. Doedd hyd yn oed bod efo athrawon ddim yn ei phoeni'n ormodol. Ond roedd y syniad o dreulio noson gyfan yng nghwmni rhieni yn codi'r felan arni.

'Rhaid i mi gadw fy swynion dan reolaeth heno,' meddai wrthi'i hun wrth ddisgwyl am y rhieni. 'Dydi rhieni ddim yn gwerthfawrogi hud, am ryw reswm.'

Agorodd y drws. Roedd y rhiant cyntaf wedi cyrraedd.

'Mr B.. Harris.' Camodd gŵr mawr, llydan, wedi'i wisgo mewn siwt, i mewn.

Safodd o flaen Ms Swyn gan ysgwyd ei llaw.

'Tad Byrti. A dyma . . .' amneidiodd i gyfeiriad ei wraig, a oedd fel cysgod y tu cefn iddo 'ei fam.'

Byrti? Allai hi yn ei byw â meddwl pwy oedd o. Pwy oedd Byrti? Wrth gwrs— dyna oedd enw iawn Byns!

'Mae Byn . . . ym, Byrti . . . yn cael hwyl dda ar ei waith y tymor yma,' meddai gan edrych ar ei nodiadau.

'Ond dydan ni ddim yn fodlon o gwbl,' cyfarthodd Mr Harris. 'Nac ydan, Mam?'

'Nac ydan, ddim o gwbl,' ategodd hithau.

'Mae'r hogyn wedi . . . newid.' Aeth Mr

Harris yn ei flaen. 'Mae ei drwyn o mewn llyfr byth a beunydd. Neu mae o'n siarad am yr ysgol. Gofyn rhyw hen gwestiynau pan rydan ni ar ganol gwylio'r teledu.'

'Gofyn rhyw hen gwestiynau,' ail-adroddodd ei gysgod.

'Twt lol,' meddai Mr Harris. 'Dwi'n ddyn prysur. Dwi'n gweithio yn Neuadd y Dre. Mae dyn eisio llonydd gyda'r nos, yn lle cael ei boeni gan blant yn gofyn cwestiynau diddiwedd. Eich job chi ydi ateb y rheiny.'

Gwenodd Ms Swyn. 'Efalla ei fod o'n arwydd da, mai magu diddordeb mae o . . .'

'Fu o erioed â diddordeb mewn dim o'r blaen. Swper, teledu, gwely, dyna'r drefn acw. Does 'na ddim byd o'i le efo hynny.' Ar hynny gwyrodd Mr Harris ymlaen. 'Dwi wedi deud wrth Mam ac mi ddeuda i o eto. Mae 'na ryw ddrwg yn y caws . . .' (Caws! Am un eiliad erchyll meddyliodd Ms Swyn ei fod wedi gweld Llwydwen i fyny ei llawes.) '. . . thâl hyn ddim, dydi Mr B. Harris ddim am ddioddef dim mwy o hyn. Dewch, Mam, rydan ni'n mynd.'

Cododd ar ei draed, a heb yngan yr un

gair arall cerddodd tuag at y drws. Ai damwain neu gyd-ddigwyddiad oedd bod rhywun wedi gadael croen banana wrth y drws?

'Waaaaaaaaaaaaaaaaa!'

Sglefriodd Mr B. Harris gan syrthio'n glewt ar y llawr.

'O, Brei bach!' ebychodd Mrs Harris. 'A chitha yn eich siwt orau!'

Pan gododd tad Byns ar ei draed roedd ei wyneb yn fflamgoch.

'Dyna ni! Mi gaiff Neuadd y Dref glywed am hyn. Mi fydd hyn yn mynd ymhellach!'

Rhoddodd Ms Swyn ochenaid ddofn wrth i'r drws gau'n glep y tu ôl i Mr a Mrs Harris. Oedd, roedd yn ganmil gwell ganddi blant na rhieni.

Anaml iawn y gwelid Ms Swyn yn flin, ond pan ymddangosodd Mr Gruffydd yn ei stafell ddosbarth, rai dyddiau wedi'r Noson Rieni, yng nghwmni Arolygwr Ysgolion o Neuadd y Dref, newidiodd yn llwyr.

'Rŵan 'ta, Blwyddyn 5,' meddai, wedi i'r prifathro adael yr Arolygwr yn eistedd

wrth ddesg fach yng nghefn y dosbarth. 'Dwi'n siŵr eich bod chitha, fel minna, yn ymwybodol bod gŵr pwysig o Neuadd y Dref yn ein dosbarth heddiw.'

Sythodd yr Arolygwr ei gefn yn bwysig ac agorodd ei lyfr bach nodiadau.

Aeth y wers rhagddi, yn dawelach nag arfer, heb unrhyw arwydd o hud yn unman. Ddaeth hyd yn oed Sylwen, y gath, ddim allan o fag Ms Swyn.

Ond, yn anffodus, doedd neb wedi cofio dweud wrth Llwydwen, y llygoden, am yr

arolwg. Penderfynodd Llwydwen fynd am dro o gylch y stafell ddosbarth.

Wedi rhai munudau o grwydro, daeth Llwydwen o hyd i dwnnel newydd. Roedd hi'n dywyll ac yn gynnes yno, fel simnai hen ffasiwn.

Pwy allai ei beio am fod eisio'i dringo? Wedi'r cyfan, mae llygod mawr yn hoffi simneiau. Sut gwyddai hi mai'r simnai dan sylw oedd coes chwith trowsus yr Arolygwr Ysgolion?

Ar y dechrau teimlodd yr Arolygwr

rhyw gosi rhyfedd. Yna, ymhen tipyn, dechreuodd wingo yn ei gadair. Ond pan grwydrodd Llwydwen ymhellach i fyny'i goes, heibio i'w ben-glin, neidiodd yr Arolygwr ar ei draed.

'O . . . o . . .' meddai, gan rwbio'i glun. 'Be goblyn . . . o . . . o . . !' Dawnsiodd ar un goes o gwmpas y stafell.

A dyna pryd y penderfynodd Llwydwen bod y simnai'n symud gormod, a'i bod hi'n bryd iddi chwilio am loches yn rhywle arall. Felly saethodd i fyny—i glydwch trôns yr Arolygwr Ysgolion.

'OOOOOOOOOOOOOOOOOOO!'

Rhwygodd ei felt ar agor, tynnodd ei drowsus i ffwrdd yn wyllt a rhedodd am ei fywyd allan o'r stafell.

Gwyliodd y plant yn syn wrth i'r corff hanner noeth wibio ar draws yr iard ac anelu drwy'r giatiau agored i'r ffordd.

Yn y cyfamser, yn falch bod y ddaeargryn drosodd, mentrodd pen bychan llwyd o ganol y pentwr trowsus ar lawr y stafell ddosbarth.

'O, Llwydwen,' meddai Ms Swyn. 'Be *wyt* ti wedi'i neud?'

Pennod 5

Traed Moch!

Roedd Mr Gruffydd mewn cyfyng-gyngor. Roedd o wedi bod mewn sawl cyfyng-gyngor ers iddo gael ei benodi'n brifathro, ond doedd y rheini'n ddim o'u cymharu â'r broblem yr oedd o'n ei hwynebu'n awr.

Roedd y sefyllfa'n achosi gymaint o boen meddwl iddo nes bod rhyw gochni hyll wedi ymddangos ar ei ben moel. Ni allai yn ei fyw ganolbwyntio yn ystod y gwersi. Roedd o hyd yn oed wedi rhoi'r gorau i bigo'i drwyn yn ystod y Gwasanaeth.

'Dwi wedi cyrraedd pen fy nhennyn,' cyfaddefodd wrth Mrs Gruffydd un noson. 'Mae pawb yn 'y mhen i, yn mynnu y dylwn i gael gwared â Ms Swyn. Mae Miss Ifans a Mrs Huws yn lladd arni rownd y rîl ac mae'r Arolygwr Ysgolion newydd gadarnhau bod ei stafell ddosbarth hi'n beryglus i iechyd y plant. Heb sôn am y bygythiad ges i gan Mr Harris. Maen nhw am i mi ei hatal hi o'i gwaith cyn diwedd y tymor, hynny ydi, cyn y Cyfarfod Gwobrwyo wythnos nesa.'

'Wel gnewch hynny 'ta, Henri,' meddai Mrs Gruffydd. 'Beth ydi'r broblem?'

'Ond plant Blwyddyn 5 sy wedi ennill pob gwobr eleni. Caryl, yr un freuddwydiol 'na, sy wedi ennill y Wobr Arlunio. Jac sy wedi ennill y Wobr Fathemateg. A chredwch neu beidio, Catrin sy wedi ennill y Wobr am Ymddygiad ac Agwedd at Waith. Mae hyd yn oed y Byns anghynnes 'na wedi cael Clod am sgrifennu ei stori "Y Gacen Siocled Hudolus efo'r Hufen Siocled Gogoneddus". Sut yn y byd mae disgwyl i mi ddeud, "Da iawn chi Blwyddyn 5 am neud mor dda, a gyda llaw mae'ch athrawes yn cael ei gwahardd o'i gwaith"?'

'Chi ŵyr orau,' oedd unig ateb ei wraig. 'Penderfynwch chi drosoch eich hun.'

'Mi dria i. O diar.'

Drannoeth, roedd gan Catrin gwestiwn i'w ofyn i Ms Swyn. 'Ydi o'n wir eu bod nhw am eich hel chi o 'ma? Mae Mr

Gruffydd wedi bod yn edrych yn amheus arnoch chi ers y diwrnod 'na pan gollodd yr Arolygwr ei drowsus.'

'Ac mae Miss Ifans a Mrs Huws yn wên o glust i glust,' ychwanegodd Jac.

'Mae hwyl dda ar Dad hefyd ers rhai dyddia,' meddai Byns. 'Dydi hynny byth yn arwydd da.'

'Peidiwch chi â phoeni amdana i,' meddai Ms Swyn. 'Mi edrycha i ar ôl fy hun.'

'Ond,' meddai Seimon, 'pam na wnewch chi fwrw tipyn o hud arnyn nhw? Eitha gwaith â nhw.'

'Beth ddywedais i? Dim hud annymunol,' meddai Ms Swyn.

'O, Ms,' erfyniodd Byns. 'Ddim hyd yn oed rhyw . . . fymryn bach . . . ar Mr Gruffydd?'

'Mi allech chi ei newid o i fod yn ddyn meidrol, normal fel pawb arall,' awgrymodd Jac.

Daeth bonllefau o gymeradwyaeth i awgrym Jac nes i Ms Swyn godi ei dwylo i'w tawelu.

'Os ydi'r prifathro am gael fy ngwared i, dyna ni, does dim all neb ei neud.'

'O oes,' anghytunodd y dosbarth.

A dyna sut y dechreuwyd ar Gynllun Gwreiddiol Blwyddyn 5.

Un o'r digwyddiadau pwysicaf yng nghalendr Ysgol Tudwal Sant oedd y Cyfarfod Gwobrwyo ddiwedd y tymor. Câi ei gynnal ar y diwrnod olaf cyn i'r ysgol dorri ac, yn unol â'r traddodiad, roedd pawb yn bresennol yn y cyfarfod.

Eisteddai Mr Gruffydd ynghyd â'r Arolygwr, yr athrawon a'r Faeres—oedd yn glamp o ddynes gyda het fwy fyth am ei phen—ar lwyfan y Neuadd, tra eisteddai'r plant a'u rhieni yn y gynulleidfa.

Roedd Mr Gruffydd newydd orffen traddodi'r un hen bregeth ddiflas ddiwedd tymor am y degfed tro, a'r un hen jôcs gwael yn ei sgil.

'Ac yn awr,' cyhoeddodd, 'mi hoffwn alw ar y Faeres i gyflwyno'r gwobrwyon.' Trodd y prifathro a gwenu'n ffals. 'Mi ddechreuwn ni gyda'r Wobr Arlunio sy wedi'i hennill eleni gan Caryl o Flwyddyn 5.'

Curodd pawb eu dwylo wrth i Caryl fynd i nôl ei gwobr.

'Mae'r Wobr Fathemateg wedi'i dyfarnu i Jac Tomos o Flwyddyn 5.'

Aeth Jac i ben y llwyfan gan godi ei law i gydnabod ei gefnogwyr yng nghefn y neuadd.

'Mae'r Wobr am Ymddygiad ac Agwedd eleni yn cael ei rhoi i Catrin Llywelyn o Flwyddyn 5.' Cyrhaeddodd Catrin ben y llwyfan a gwnaeth gyrtsi fechan ger bron y Faeres wrth dderbyn ei gwobr.

'Ac am ennill Clod am sgrifennu stori "Y Gacen Siocled Hudolus efo'r Hufen Siocled Gogoneddus"—Byrti Harris o Flwyddyn 5.'

Stryffaglodd Byns i fyny grisiau'r llwyfan ond, yn groes i'r disgwyl, cerddodd yn syth heibio i'r Faeres a chipiodd y meicroffon o ddwylo crynedig y prifathro.

'Mae pawb ym Mlwyddyn 5 eisio diolch i Ms Swyn,' cyhoeddodd, cyn ychwanegu, 'hi ydi'r athrawes orau i ni ei chael erioed . . .'

'Rhowch y meicroffon i mi ar unwaith,' mynnodd y prifathro. Ond roedd Byns yn dal ei afael yn dynn wrth i'r prifathro redeg ar ei ôl ar draws y llwyfan.

'A DYDAN NI DDIM EISIO IDDI ADAEL—BYTH!' gwaeddodd Byns. 'NAC YDAN, BLWYDDYN 5?'

Yr eiliad nesaf cododd gweddill y dosbarth ar eu traed. Chwifiai rhai ohonynt faneri gyda'r geiriau 'MS SWYN ANHYGOEL' a 'DIM SACIO MS SWYN!' arnyn nhw.

'Rho'r gorau i hynna rŵan, Byrti,' dechreuodd Mr B. Harris wrth iddo frasgamu am y llwyfan, 'neu mi gei di gweir ar ôl i ti gyrraedd adra.'

O gefn y llwyfan lle'r oedd Ms Swyn yn eistedd dechreuodd sŵn hymian cyfarwydd.

Yn sydyn, trodd Mr B. Harris yn anifail tebyg i fochyn.

'Brensiach annwyl,' meddai Miss Ifans. 'Mae o wedi troi'n faedd gwyllt!'

'Mae o'n debycach i'r Twrch Trwyth ddeudwn i,' atebodd Mrs Huws.

'O bobl bach, mae hi'n mynd yn draed

moch go iawn arnon ni,' gwaeddodd Mr Gruffydd. 'Be wnawn ni, meee . . .' Yn ddisymwth, diflannodd y prifathro a safai dafad yn ei le.

Erbyn hyn roedd yr ysgol gyfan yn gweiddi, 'Swydd i Ms Swyn! Swydd i Ms Swyn!'

Cododd Ms Swyn ar ei thraed ac estynnodd Byns y meicroffon iddi.

'Dwi'n awgrymu y dylen ni barhau â'r gwobrwyo ymhen hanner awr ar ôl i mi

gael gair â Blwyddyn 5 yn eu stafell ddosbarth—rŵan, os gwelwch yn dda.'

Ar hynny cerddodd i lawr o ben y llwyfan tuag at y gynulleidfa oedd erbyn hyn wedi ymdawelu.

'Ffoniwch yr heddlu, Miss Ifans,' gorchmynnodd Mrs Huws.

Edrychodd Ms Swyn dros ei hysgwydd.

Yna'n sydyn, diflannodd y ddwy ac yn eu lle ymddangosodd dwy ŵydd yn clegar am y gorau.

'Rydach chi'n annwyl iawn, Flwyddyn 5,' dechreuodd Ms Swyn ar ôl i'r plant i gyd ymgynnull yn y dosbarth. 'Ond y gwir amdani ydi, y bydda i'n gadael Tudwal Sant p'run bynnag.'

Bu distawrwydd.

Yna ymhen ychydig holodd Catrin, 'Ond pam?'

'Ar ôl hynna i gyd,' mwmiodd Byns.

'Mi fydda i'n mynd lle bynnag mae f'angen i,' eglurodd. 'Lle mae angen help llaw hudol. Heddiw rydach chi wedi profi i mi nad oes arnoch chi f'angen i bellach. Chi ydi dosbarth gorau'r ysgol.'

'Ond fyddwn ni ddim os ewch chi,' protestiodd Caryl.

'O byddwch,' atebodd Ms Swyn. 'Mi gewch chi weld . . .'

'Ond mi fydd gynnon ni hiraeth amdanoch chi,' meddai Jac yn annisgwyl, a dwyster lond ei lais.

'. . . na fydd achos . . .'

Gwrandawai'r plant yn astud ar eiriau Ms Swyn. Roedd hyd yn oed Caryl wedi sychu ei dagrau.

'. . . achos mi fydda i'n ôl,' gorffennodd.

'Pryd?'

'Lle?'

'Tymor nesa?'

Cododd ei dwylo i atal rhagor o gwestiynau.

'Mi ddo i i weld bob un ohonoch chi pan fydd arnoch f'angen i.'

'Bob un ohonon ni?' gofynnodd Seimon.

Bob un,' cadarnhaodd Ms Swyn. 'Ac mi ddaw Sylwen *a* Llwydwen hefyd.'

Yna cydiodd yn ei bag, cododd un goes dros yr hwfer fel cowboi ac i ffwrdd â hi i fyny i'r awyr.

'Ewch yn ôl i'r Neuadd er mwyn gorffen y Cyfarfod Gwobrwyo,' gwaeddodd. 'Mi fydd popeth yn iawn. Wela i chi!'

'O, na,' meddai Jac wedi i bawb ddychwelyd i'r neuadd. 'Ylwch, mae Ms Swyn wedi anghofio un peth.'

Ar ben y llwyfan, ger y prifathro, yr Arolygwr a'r Faeres safai dwy ŵydd lwyd.

'Mi fydd yn rhaid iddi ddŵad yn ôl rŵan,' meddai Catrin.

'Dim hud annymunol,' meddai Byns.

Clywsant sŵn hymian cyfarwydd y tu allan i'r neuadd.

'Gobl, gobl, gobl . . . traed moch,' meddai Miss Ifans.

Ochneidiodd Jac.

'Mi fasai'n well gen i petaen nhw wedi aros yn wyddau,' meddai.